A BOOK
ON
FESTIVALS

CHINESE
TRADITIONAL
FESTIVALS

夏至

一年至盛，安居修心养身

七夕

情感交融的桥梁

中元

为生命留有余地

中秋

小康生活的圆满

重阳

大自然最后的壮观

腊八

报告天地的仪礼

年关

文明里的信仰情怀

过年

在时运的变迁里通变重生

春节

取悦天地的礼乐文明

元宵

年岁劳作前的欢聚

春分

情欲萌动的媒介

社日

社会之始的认同和欢乐

寒食

回到更为本真的生活

清明

对家庭的尊崇和对祖先的感恩

端午

节气和操守，辟邪和祛灾

春节是忧于季候的轮转和人生百年，温暖着每个人，让每个人在节日期间驻思于仪，它兴于情，立于礼，成于乐。它检验个人是否充分地个体化，也关怀个人是否充分地社会化。

春节里有着我们文明的消息，有对生命的至上尊重关怀。

春节

初一出门拜年，见面一通寒暄，你好我好他好，再见又得一年。

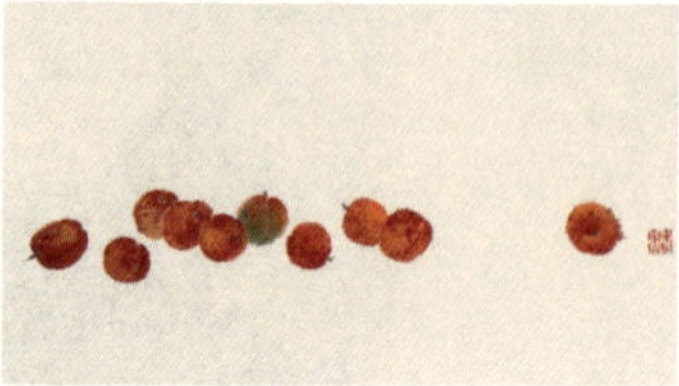

元宵

年岁劳作前的欢聚

是的，千里搭长棚，没有不散的宴席。最繁华、最热闹的时刻和场面总伴随着不祥和悲哀，欢乐之后总是深深的落寞与不安。但我们人类在人生百年中，仍会年复一年地、一代一代地努力，搭起长棚，创造出繁华、欢乐来。

西门大官人的焰火也好，贾府大观园的豪华也罢，都只是节日展开的道具，它们终将烟消云散，而欧阳修、辛弃疾、曹雪芹们的文字与世长存。在元宵节日里，只有超越性的参与，才能将景观化为与节日同辉的力量，感染一代又一代人。

元宵

正月要走亲戚，带着一篮礼物。见面又吃又喝，然后还得赶路。

老树印信

春分

情欲萌动的媒介

即使在今天，爱情仍是我们社会稀罕的事物。木心说，爱情像是一门失传已久的学问。这门学问在中国人的语境里，听说过，没见过。想象过，没遇到过。

老树
信印

春分

古时上巳时节，郊野曲水流觞。
风雅寻常之事，拾得清词千行。
今日又逢上巳，写字楼里穷忙。
活得真是粗陋，辜负多少春光。

社日

社会之始的认同和欢乐

此时，燕子飞来，玄鸟司分，不仅意味着春播春种，也象征着爱情，意味着生命的孕育。

社日作为节日的式微应跟我们文明的大转型有关。“社会”变得复杂了，生存的维度丰富了，其中的个体跟共同体的关系也不能再停留在熟人模式、家国情感模式，需要引入契约精神、法治意识，个体需要长大，跟大家长一道并肩而立并随时可以成为大家长。

我们的“社会”需要人的启蒙和自立，同样也需要社会对人的保卫和成全。

社日

江河已经破冰，大地开始苏醒。准备下地干活，怀揣一片春情。

老树印信

寒食

回到更为本真的生活

核能和远古的火种都是文明的标志。清明与寒食的相关内涵也在提醒我们，人类应该在自然面前保持敬畏，文明之火的延续并不容易。

寒食

此去千里寻花，山前山后徘徊。误入白云深处，从此不再回来。

清明

对家庭的尊崇和对祖先的感恩

作为一个万物清洁明净的节气时间，人们可以在此时远游踏青，欣赏大自然，清洗掉自己入冬以来不得亲近天地山川的暮气衰气，用一句成语来说，就是到大自然中吐故纳新；作为祭祖扫墓的节日，人们需要返乡，到自家的先人墓前祭祀。

清明

总有一棵树，等待春风回。总有一间屋，不知住着谁。

老树印信

端午

节气和操守，辟邪和祛灾

据说，汉宣帝初生时，家人就给了他一面身毒国（今之印度）出产的小铜镜，人们相信小铜镜有照见鬼魅魂魄的神奇力量，因此用来给宣帝避邪祛灾，这面宝镜以五彩丝线穿系后缚在宣帝的腕上。后来端午节在儿童手腕上缠缚五彩丝线以祈福的习俗，大概来源于此。

少年佳节倍多情，老去谁知感慨生；不效艾符趋习俗，但祈蒲酒话升平。鬓丝日日添白头，榴锦年年照眼明；千载贤愚同瞬息，几人湮没几垂名。

端午

平时总在忙碌，端午倒也清闲。兄弟相约到山前。不见还有思，相会却无言。

花乱开
老樹印信

夏至

一年至盛，安居修心养身

如非特殊情况，我们应该在夏天用心一处，这既是调养了自己的身体，也整理了自己的心理。明代诗人有《结夏》诗：未得向深谷，空林且暂依。自从草塞径，便不昼开扉。疏磬隔烟晚，凉云逗竹飞。相过平日客，谁复送令归。

夏至

梅子黄时雨，细细落山前，竹下闲坐久，一一数青莲。

老树印信

老树印信

七夕

情感交融的桥梁

对七夕这样一个节日而言，我们今天多半把它浪漫化了、美丽化了。说到美丽，我们知道其中一定得有缺憾、得有悲剧。就像诗人说，最美丽的最哀伤，我知道有些永生的歌只是呜咽。美丽总是跟爱情、悲情哀情相关。这个浪漫美丽的行为就是把一个节日编成了牛郎织女的故事。

牛郎织女虽然是民间传说，却有着我们民族的集体无意识，反映了我们民族的某种心理。你可以把牛郎解读成所有的中国男人，也可以把牛郎解读成中国，可以看到，这个中国、这个中国男人，自南北朝开始，就只能展示自己的老实、无能一面，只能靠老牛来帮忙，只能无奈地乞求神灵。

我原来说，自宋朝之后，中国男人阳气不足，中国男人配不上中国女人。看牛郎织女的故事，我们可以看到，南北朝时期，中国男人就屌丝化了。

七夕

天河浩浩荡荡，分开织女牛郎。
虽然一年一见，平时分居却想。
我劝天下情人，不要总说很忙。
抽空或者请假，经常一起逛逛。
或者直奔商店，装作花钱大方。
或者七夕夜半，散步荷塘边上。
抬头看看夜空，一弯新鲜月亮。

中元

为生命留有余地

古人一定深信在生命之外，天地间仍有不可知的力量，包括死去的亲人和他人，仍以鬼魂亡灵的形式左右人间。人们必须有某种仪式，有习俗来跟它们沟通，才能保证自己在人间正常的生活，否则，自己的生活和百年人生也一定会受干扰影响。这大概是鬼节的习俗传承下来的原因之一。

我们相信，中国鬼节、尤其是鬼月七月半鬼节的习俗，有着极为重要的天地消息。

文明的物质生活和技术进步让人越来越为所欲为，但这个世界还有游魂，有变局。我们敬畏鬼，即是敬畏变数，即是为我们的生命留有余地。

中元

立秋人间新月，
中元梦里故人。
心头自有敬畏，
不语怪力乱神。

人们过中秋的习俗，祭月、赏月、拜月、吃月饼、赏桂花、饮桂花酒，等等，说到底是与圆月相互印证。人的大团圆或我们中国人的大团圆“集体无意识”，有着悠久的历史。尽管文人哲人一再告诫说，“曲则全”，“此事古难全”，缺憾是一种美，等等，但我们中国人固执地把大团圆当作戏曲乃至人生的目的，甚至把团圆之梦想做得世俗，说出了宁做太平犬不做乱世人的话。这其中一定有现实的原因。

我们因此能够想象，在古人那里，中秋月圆之际，父子、夫妻的分离状态。战场上的将士在思念家乡，家乡的亲人在思念远方的游子、役者、劳者、商贾……中秋月圆，正好检验着个人家族的团圆平安。只有如此，我们才能理解历史上那些乱离诗篇、中秋的思亲诗篇。我们中国人才会将中秋节过得诗情画意，过得热烈、痴着。

跟传统的中秋节日的意义有所不同，当代人过中秋节更多是在商家、市场、传统、秋天明月等联合发力中度过，当代人需要从人生、一年时间、中秋等格局坐标里重建节日与自身的关系，这需要我们每一个人都能够投入，在节日里过出自己的个性和意义，以自己的意义增富这一节日。

中秋

人世忒嫌无趣，天地却总有心。一饼古代月亮，一直照到如今。

秋風落黃葉亭下
喝盃茶世事有人
管你說我忙啥
丙申秋風中老树造

重阳

大自然最后的壮观

任何一个民俗节日其源头多非民间的创造，而是部族的上层为共同体的生存所设定的记忆绳结。重阳节之绳结有“大火”、有秋收等生存要义，这些内容附加到一个节日上面，就是后人所说的圣人以神道设教。民众生活因此具有仪式感、节日感，方便了教化。

由此可知，祛除神圣后的世俗节日是热闹的，是欢快的，是人情的，就像唐人的诗句，王维有诗：独在异乡为异客，每逢佳节倍思亲。遥知兄弟登高处，遍插茱萸少一人。

重阳

又逢重阳节，微信约朋友。
登高看新菊，临风吃老酒。
平时总在忙，难得能聚首。
大醉下山去，相扶一起走。

腊八

报告天地的仪礼

腊八节不是现代人的公共节庆日，但这个传统节日在民间仍有根深蒂固的影响。即使经过现代革命移风易俗运动之后，民间生活支离破碎，一些传统节日仍在民众的记忆里，在日子来临时唤醒。腊八节就是这样的一个节日。

无论如何，自伊耆氏以来，三四千年来，腊八节在我们这片土地上一直传承，长时间辉煌，在现代一度沉潜。但其千百年来的上下努力使其节庆的丰富意义积淀成千家万户的生活方式，我们在新旧交替的日子里过节，有跟天地自然步调一致的印证、参赞和祈求的意义。参与腊祭既是期望新年新生，更是功成圆满。

腊八

腊月二十八，扛竹送人家。古风今尚在，无人明白它。

老树印信
痕上階綠
草色入簾青

年关

文明里的信仰情怀

那么，年关究竟是什么呢？我曾经想到一种思路，它可能是我们文明里的信仰情怀，也许，这种奠基了一个文明社会存在之可能的信仰情怀是我们文明应对丛林法则、应对功利算计、应对历史主义或理性的秘密，即那种历史主义眼里毫不顾惜的岁月流逝必须时时休止，那种永无尽头为明天将来做准备做牺牲的调子必须停唱，以接受审判、清算，以决定新生。

年关

无论贫富贵贱，纵使海角天涯，有事以后再说，过年先回老家。

过年

在时运的变迁里通变重生

吃年饭对我们中国人来说意义重大，深入骨髓，这是团圆饭，报恩饭。一年一度的年饭使家人之间的关系得到强化，使之更为紧密。家人的团聚往往令一家之主及全体成员在精神上得到安慰与满足，一家人在一起，长幼有序，你谦我让，这就是中国人的天伦。

过年的历史久远。四千年前，据说舜继天子位时祭拜天地。从此，人们就把这一天当作岁首。这就是农历新年的由来。从考古天文学的角度看，先民在历法的终点和起点时实行庆祝，最初只有几天时间。据说东西方民族都曾经有过一年十月历、十二月历整数即 360 天的纪年法，多余出来的四五天则用于庆祝。但后来演变成，过年或辞旧迎新需要一两个月的时间，官民之间营造出一两个月的过年气氛。

过年

打上一盆浆糊，门楣贴上对联。家家新鲜红色，样子才像过年。

老树印信